■ 第2～3页

■ 第16～17页

■ 第5页

■ 第7页

■ 第44页

幼儿园/学前班适用的数学书

阶梯数学

3岁
第4阶

北京科学技术出版社

阶梯数学——我的第一本数学教材

· 本系列图书包含了适合幼儿各个年龄阶段的系统数学内容。有针对性地选择和自己孩子的水平相应的阶段，可以在家里轻松地进行学习。

· 每一部分都为家长准备了亲切的说明文字，对于家长在家指导孩子学习有很大的帮助。

· 画线和涂颜色是幼儿学习的基本内容，粘贴sticker等游戏和醒目的图画可以培养孩子的想像力和创造力，并且为学习增添很多趣味。

· 每一年龄段的学习内容都分为五阶。学习内容循序渐进，逐阶加深。

阶梯数学·3岁

通过各种游戏和活动来熟悉数字0～10，学习空间关系、时间概念、规律等数学基础知识。

第1阶	通过形状、颜色、动作、用途、个数等来区分事物，比较三个以上对象的高度、长度和数量等。
第2阶	从1数到10，用各种各样的方法让孩子熟悉数字1～10的形状，并自然地了解0的概念。
第3阶	通过按照各种图形画线的活动，培养孩子手部的力量，练习写出数字0～10。通过画○、△、□来熟悉不同图形的特点。
第4阶	根据事物的形状或颜色找到两三个事物反复出现的规律，学习前后、上下、左右、里外等空间关系和先后的时间概念。
第5阶	复习10以内数的读、写、数，通过对象增加和减少的过程熟悉加减法的基础概念。

Noonnoppi Good Beginning of Mathematics Work Book Series
3-4 year old vol.1~5 Copyright © 2003, Hae-Ran Chu,
DAEKYO PUBLISHING CO.,LTD.
Chinese simplified translation rights © 2006 by Beijing Science and Technology Press
Chinese simplified translation rights arranged with
DAEKYO PUBLISHING CO.,LTD.
Through Imprima Korea Agency

著作权合同登记号　图字：01-2006-2184

图书在版编目（CIP）数据

阶梯数学·3岁第4阶/（韩）朱慧兰著；王宁译.
—北京：北京科学技术出版社，2016.12 重印
ISBN 978-7-5304-3422-2
Ⅰ．阶… Ⅱ．①朱…②王… Ⅲ．数学课—学前教育—教学参考资料　Ⅳ．G613.4
中国版本图书馆 CIP 数据核字（2006）第 117230 号

阶梯数学·3岁第4阶

作　者：朱慧兰（韩）
译　者：王　宁
策　划：白　林
责任编辑：邵　勇
图文制作：鹿鼎原
出 版 人：曾庆宇
出版发行：北京科学技术出版社
社　址：北京西直门南大街 16 号
邮政编码：100035
电话传真：0086-10-66161951（总编室）
　　　　　0086-10-66113227（发行部）
　　　　　0086-10-66161952（发行部传真）
电子信箱：bjkjpress@163.com
网　址：www.bkjpress.com
经　销：新华书店
印　刷：保定华升印刷有限公司
开　本：880mm×1230mm　1/16
印　张：32.5
版　次：2006 年 10 月第 1 版
印　次：2016 年 12 月第 18 次印刷
ISBN 978-7-5304-3422-2/G·492

定价：70.00 元（全套 5 本）

蝴蝶结

在放置杂乱的物品中找出一定的秩序或者规律，能够培养比数数更重要的思考能力和判断能力。耐心地等孩子独立找出规律，再仔细向孩子说明各种标准（形状、颜色等）。

图中有许多漂亮的蝴蝶结和好吃的糖果。
请你找出所有的 🎀，画上○吧。

漂亮的挂件

不考虑颜色，而是把注意力放在形状上，找出正确的答案。

我要做个挂件挂在房间里，上面用圆形和蝴蝶形来交替点缀。
请你把相应的图形sticker贴在○上吧。

是什么颜色呢？

认识颜色，通过颜色来判断规律。指导孩子先不要考虑形状，而是把注意力放在颜色上，找出正确答案。

图中的衣物交替涂着黄色和蓝色。给没有颜色的衣物涂上正确的颜色吧。

绳子上串着各种各样的纽扣，本想有规律地穿上粉红色和蓝色纽扣，可是绳子上还有白色的纽扣，应该把它们换成什么颜色的呢？请你把正确的纽扣sticker贴在上面。

5

是什么鱼呢?

通过颜色和形状来判断规律，以颜色和形状中的任意一种作为标准来寻找规律。

通过颜色和形状来判断规律，以颜色和形状中的任意一种作为标准来寻找规律。

小朋友们去海洋馆观赏鱼。○的位置应该是什么样子的鱼呢？
请你仔细观察下面的图，把正确的小鱼sticker贴在上面。

做什么练习呢?

找出同类动物做相同表演的规律,让孩子说一说猴子、熊、狮子分别在做什么练习。

小动物们正在练习马戏表演。图中什么都没做的熊和狮子应该做什么练习呢？仔细观察一下其他的熊和狮子在做什么，给它们贴上  和 sticker吧。

应该摆放什么呢？

不要考虑颜色和形状，仔细观察手套、帽子、鞋这3种物品的顺序，找出其中的规律，并判断出空白的地方应该摆放的物品。

仔细观察手套、帽子、鞋摆放的顺序，想一想下面的空格里应该放什么呢？把空格和相应的物品用线连起来。

该放什么呢?

找出ABC式的排列规律，检查一下孩子是否理解了前面学过的按形状排列的规律。

这里有各种各样的饼干和糖果，以3个为1组，画上○吧。
下面的○中应该放什么样子的饼干或糖果呢？贴上相应的sticker。

把各种颜色的珠子串在一起做项链，按照顺序○中应该穿什么颜色的珠子呢？仔细观察图中珠子的顺序，贴上相应的sticker吧。

找规律

这不是单纯的ABC式的排列规律，而是AAB式的排列规律，请用彩色积木或糖果来进行实际操作。

这里有火柴和色子，○中应该放什么呢？
请你把正确的物品和○用线连起来。

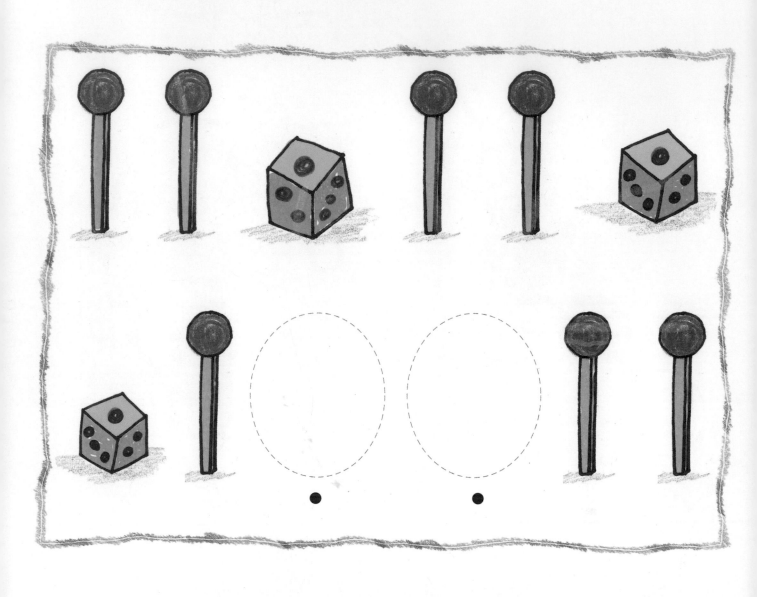

填数字

这里反复出现的对象不是实物而是数字，即使孩子记不清前面学过的数字，也至少让他们能根据数字的形状找出其中的规律。

下面写着一些数字。
仔细观察数字排列的顺序，把正确的数字写在空格里吧。

看书

培养孩子正确的看书习惯，同时复习前面学过的"找规律"的内容。请把重点放在帮助孩子养成好的习惯上，不要只强调学习内容。

兔子妹妹很喜欢看图画书。
看书的时候要挺直腰，端正地坐在椅子上，
眼睛和书本之间保持适当的距离。
如果离得太近，视力就会变得很差。
请你找出图中看书姿势正确的小兔子，
贴上 🌸 sticker吧。

培养孩子正确的看书习惯，同时复习前面学过的"找规律"的内容。请把重点放在帮助孩子养成好的习惯上，不要只强调学习内容。

兔子弟弟正在整理搁架，兔子姐姐在画画。
○中应该是什么呢？请你把正确的sticker贴在上面吧。

画画

孩子们喜欢随心所欲地写写画画，如果一味禁止他们这么做，他们的想像力和表现力就不能很好地发展。所以，即使孩子写出来和画出来的东西看起来什么都不像，也要称赞和鼓励他们，同时告诉他们不要到处乱写乱画就可以了。

小慧会写自己的名字和简单的数字，她应该写在哪里呢？在右边的图中，把适合在上面写字、画画的东西找出来，给〇涂上颜色，再在下面的练习本上把学过的东西练习一下吧。

书

练习本

墙

柜子

找小狗

即使是同样的事物，从不同的角度看也不一样。只有从各个角度仔细观察，才能正确地认识事物。首先了解一下正面和背面的关系。

小慧很喜欢妈妈给她买的玩具小狗，猜一猜她抱着的玩具小狗的正面是什么样子的呢？找出正确的图案，贴上 🌹 sticker吧。

区分前后

第22页的图可以看到小慧和小狗乐乐的正面。通过比较正面和背面，认识从前、后观察时对象有什么不同。

小慧带着小狗乐乐去散步。从后面能看到小慧的背影和乐乐的尾巴，正面会是什么样子的呢？在下面的图中找出小慧和乐乐的正面，用线连起来。

这是小慧和小狗乐乐的正面。
能看到整张脸的一面就是正面。

以终点的红线为标准，找出最前面的瓢虫，画上○。

后面有几个人呢?

即使分清了前后, 孩子仍然很难理解谁在谁的前面 (后面)。向孩子说明以人的脸为参照物, 脸所面对的人 (事物) 就是在前面, 背所面对的人 (事物) 就是在后面。

小慧和奶奶要去医院, 她们正在等公共汽车。找出小慧和奶奶前面离她们最近的人, 给他贴上  sticker。小慧的后面站着几个人呢? 把相应的数字写在 □ 中。

23

前面和后面

对孩子说明不只是人和动物这样的生命体有前后，房子和汽车也分前后。

小慧来到奶奶家，奶奶家有很多小动物。房子后面一共有多少只动物呢？请你在○中贴上相应数量的 🌸 sticker吧。

从下面看

只看图很难理解从上面或下面看到的形状，请用相似的实物来帮助孩子理解。

下面是分别从上面和下面看到的帽子、鞋和锅的形状。
仔细看图，把同一物品用线连起来吧。

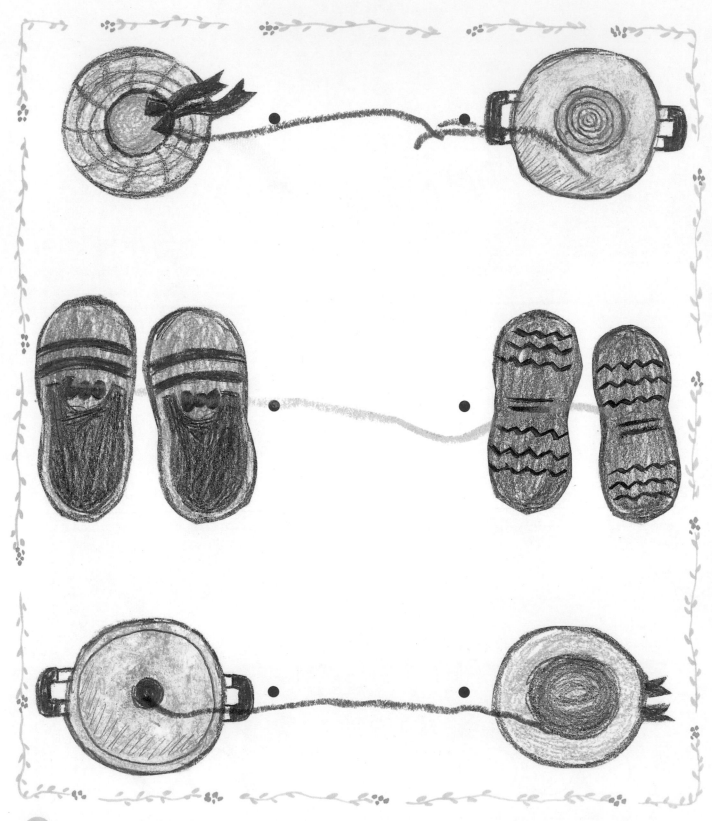

最上面的纸娃娃

"上"的概念就是比一个固定的标准更高的意思。检查一下孩子是否正确理解了这个概念。

天空和田野的图上贴了几个纸娃娃，请你把 sticker贴在最上面的纸娃娃头上。

上面和下面有什么呢?

以书桌作为标准,通过找出上面和下面的东西来熟悉上和下的概念。

妈妈坐在书桌前用电脑,小慧在地上玩积木。在图例中找出放在书桌上面的东西,画上○;再找出在书桌下面的东西,画上□。

笔记本

图例

29

从侧面看

侧面分为左和右，但这对孩子来说是很难区分的。这个练习主要是让孩子了解侧面这个概念。

摄影师叔叔给小慧拍了正面的照片，又给她拍了侧面的照片。这里还有小动物们的照片，请你找出它们侧面的照片，画上○，再把它们和相应的正面照片用线连起来吧。

在旁边

今天是除夕,全家人都来到爷爷家,一起照了一张全家福。
请你把小慧旁边的人找出来,贴上★sticker吧。

区分里面和外面

里面和外面是基于一定的标准而形成的概念。用箱子、篮子、宠物的窝、玩具篱笆等实际物品来帮助孩子理解。

找出在自己窝里的动物，画上○。
在窝外面的动物一共有几只呢？在 ⬚ 里写出正确的数字。

今天非常热，妈妈在院子里给小慧弄了一个小游泳池，
小慧在里面玩得很高兴。在水里可以玩什么东西呢?
请你把下面相应的图案剪下来，贴在游泳池里吧。

33

在哪里呢?

检查孩子是否准确理解了前面学过的位置概念。如果有不理解的地方,回到前面重新练习一下就可以了。

动物们在树林里快乐地做游戏。请你按照卡片上写的位置找出动物,再把卡片和动物用线连起来吧。

| 大树下巢穴里的动物是谁? | 山羊旁边的树桩上的动物是谁? | 马前面个子比较高的动物是谁? |

找出位置

仔细看图，找出所说的位置，把注意力放在前后、上下、旁边等位置关系上。

几个小朋友一起在公园里玩。
请你给滑梯旁边的小朋友贴上 🍬 sticker，
给秋千上的小朋友贴上 🍦 sticker吧。

垃圾筒

请你把下面的图案剪下来，按照要求贴在相应的位置上吧。

秋千后面	长椅上	秋千前面	滑梯下面 剪开处

37

小猫的一天

通过有趣的故事，复习前面学过的找规律，以及前后、上下、旁边等概念。

我叫咪咪，是一只刚出生两个月的小猫。
今天白天我一觉醒来，
发现每天对我虎视眈眈的大狗汪汪不见了。
我怕把妈妈吵醒，所以小心翼翼地走到大门口，
天哪！大门居然开着一条缝，正好够我钻出去。

在下面的图中找出大门外的东西，画上○。

墙上有漂亮的画，想一想○中应该画什么，贴上相应的sticker。

大门外真安静啊。再往外走走试试？
一步，两步，三步。
妈妈要是醒来发现我自己跑到了外面，肯定会批评我的，
但我觉得只要再稍微走一点就能看到很新奇的东西了，
因为不远处有个小公园。

把下面的游乐器械和相应的文字说明用线连起来吧。

前后摆动。　　●

转圈。　　●

上下移动。　　●

到了小公园，突然听到汪汪的叫声，
它正在滑梯旁边用非常凶恶的表情看着我。
我吓了一大跳，赶紧往家里跑。
妈妈已经来到大门口了，只要妈妈在我身边，
我才不怕大狗汪汪呢。
啊，这真是忙碌的一天！

对于咪咪来说，今天都发生了哪些事情呢？
按照事情发生的先后顺序在 ☐ 中写出1、2、3。

白天睡觉。	跑到大门外面。	在小公园被吓了一跳。
☐	☐	☐

先做哪件事情呢？

通过这个练习，可以让孩子对时间的先后有大致的了解。帮助孩子回忆按时间、按顺序发生的事情和变化，从而知道时间也在不断地变化。

在每幅图中，给先做的事情贴上 sticker。

叠被子。

脱下睡衣，换上日常衣服。

整理积木。

玩积木。

刷牙。

把牙膏挤到牙刷上。

怎么长出来的呢?

通过这个练习，可以确认孩子是否记住了数字的顺序，告诉孩子结果实的西红柿是什么样子的。

种在花盆里的种子长大了，结了小西红柿。
它是按照什么顺序生长的呢? 请你依次在☐中写出1~4。

找出完成的作品

告诉孩子用粘土、彩纸、彩色蜡笔怎样做才能完成右边的作品。

今天要自己动手创作。
请你把材料和完成的作品用线连起来吧。

■ 第1页

■ 第4页

■ 第10～11页
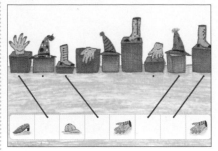

■ 第20页

■ 第2～3页

■ 第12页
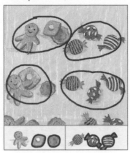

■ 第13页

■ 第21页

■ 第5页

■ 第14页

■ 第15页

■ 第22页

■ 第6～7页

■ 第16～17页

■ 第23页

■ 第8～9页

■ 第18～19页

做得
太好了。

■ 第24~25页

■ 第32页

■ 第33页

■ 第26页

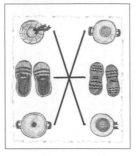

■ 第27页

■ 第34~35页

■ 第44页

■ 第28~29页

■ 第36~37页

■ 第45页

■ 第30页

■ 第31页

■ 第38~39页

■ 第46页

辛苦了。

■ 第40~41页

■ 第42~43页

阶梯数学贴贴画

我的第一套学前数学启蒙游戏书

★ 进阶培养数学思维能力　　★ 赠送 6×100 张贴纸

★ 边贴贴纸边思考　　★ 探知生活中的数学

- 由专业的幼儿数学研究组编写，涵盖所有适合2~4岁幼儿的数学知识点。
- 以学习数字、加减为基础，同时练习对物品进行比较、分类、分析，培养孩子的理性思考方式。
- 采用贴贴纸、做游戏的方式，满足幼儿在玩耍中快乐学习的需求。
- 内容编排采取循序渐进的原则，帮助孩子在积累知识的过程中不断增强成就感和自信心。

我的第一套科学启蒙书

妙趣科学

幼儿版

德国科普童书No.1，
风靡欧洲16年，
版权售至20个国家，
销量超1900万册！

4辑共40本，40个科学主题，40次科学探索，
40次与科学的亲密接触，让孩子从小爱上科学！
每辑内含200个活动小翻页，让孩子自己动手，揭开科学的秘密！

第1辑

第2辑

第3辑

第4辑

★ 新闻出版总署推荐图书

★ 全国优秀科普图书

★ 北方十省市优秀科普图

★ 北京市优秀科普图书

★ 北京市科协推荐图书

★ 北京市出版工程图书

★ 北京自然博物馆推荐图

★ 北京天文馆推荐图书